はたらくロボットずかん

家ではたらくロボット

監修　平沢岳人
（千葉大学大学院工学研究院教授）

小峰書店

はじめに

ロボットってどんなもの？

みなさんは、ドラえもんのたん生日がいつか知っていますか？答えは2112年9月3日。今はまだ、ひみつ道具を出してくれる、ドラえもんのようなすごいロボットはつくられていませんが、たくさんのロボットが人間といっしょにはたらいています。

では、ここでまた、質問です。

「みなさんが考える、ロボットってどんなものですか？」

ロボットはかんたんにいうと、「かしこく、はたらきもので、人間の役に立つ機械」です。ロボットは、ものを見分けたり感じたりして、どうするかを自分で考え、指示されたことをまちがえず、つかれることなくはたらいて、人間をたすけてくれています。

このシリーズでは、今、かつやくしているロボットや、これからかつやくしそうなロボットをしょうかいします。この本では、おもに家や学校ではたらくロボットたちを見ていきます。

この本を読み終えたみなさんは、大人が考えもしなかったロボットを思いつくかもしれません。そんなふうに、みなさんがロボットに少しでも興味をもつきっかけに、この本がなれたのなら、とてもうれしく思います。

平沢岳人
（千葉大学大学院工学研究院教授）

この本の見方

ロボットの名前や大きさがわかります。

高さ

はば

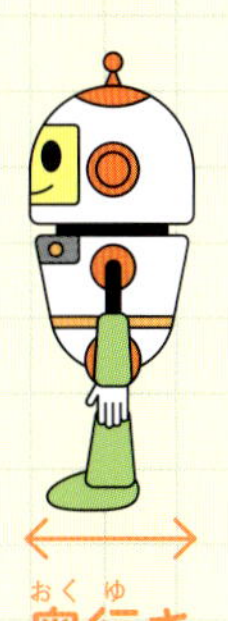

奥行き

「奥行き」は、ロボットのしゅるいや形によって、「長さ」にかわる場合があります。

どのようなときに、人間の手だすけをしてくれるロボットなのかがくわしく書かれています。

どうして、このロボットがつくられたかが書かれています。

ロボットがつくられる、きっかけとなった、人間の「こまりごと」がわかります。

このロボットがあれば、わたしたち人間に、どのように役立つかがわかります。

ロボットがどのようなしくみで、うごいたり話したりしているかがわかります。

どこがすごいのか、ロボットのひみつがわかります。

「もっと知りたい！　はたらくロボット」では、ほかにもかつやくしているロボットたちをしょうかいします。

名前や大きさ、どのようなロボットなのか、ロボットの「ここがすごい！」ところがせつめいされています。

ぼくは、ロボタ。この本を案内するよ。さあ、家ではたらく、ぼくのなかまたちを見にいこう！

家ではたらくロボットたち

この本では、おもに家ではたらくロボットたちをしょうかいします。
みなさんも見たことのあるロボットがいるかもしれませんね。
ロボットが、どのように人をたすけてくれているのか、見ていきましょう。

るすの間でも、へやをきれいにする

おそうじロボット

名前	ルンバ (Roomba j 9 +)
はば	34cm
奥行き	34cm
高さ	8.7cm
重さ	3.4kg

テーブルの下も
かんたんにそうじ
できるんだ

ルンバは、人が家にいないときでも、家の中をうごきながら、自動でそうじをしてくれるロボットです。

ほこりがたまりやすいへやのすみや、テーブルやいすの下も自分で考えてうごき、ごみをはきあつめます。はきそうじだけでなく、ふきそうじもできる、新しいおそうじロボットも登場しています。

このロボットは、どうして
つくられたのでしょう？

 写真：iRobot

一度、そうじをすると、かべの位置や、おいてある家具の場所をおぼえます。そうじをするたびに学んでいくので、はきのこしがへり、そうじのスピードもはやくなっていきます。

? このロボットはそうじの時間をへらすためにつくられました！

子そだてをしている人のこまりごと

今、赤ちゃんをそだてていて、そうじをする時間がありません。

お年よりのこまりごと

年をとって、家中にそうじ機をかけることがとてもたいへんになりました。

ほかのことに時間をつかえる！

しごとがいそがしい人や、赤ちゃんがいる人は、なかなかそうじをする時間がとれません。また、お年よりは、前かがみでそうじ機をかけることがたいへんです。

このロボットがあれば、かわりにそうじをしてくれるので、赤ちゃんのせわをしたり、出かけたりできて、ほかのことに時間をつかえます。

教えて！ロボットのしくみとひみつ

しくみ

センサー

センサーがかべや家具を見分けて、向きをかえます。

ブラシ

見つけたごみをはいて、かきあつめます。

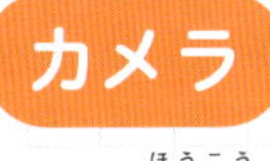

カメラ

すすむ方向にあるごみを見つけます。

【うら側】

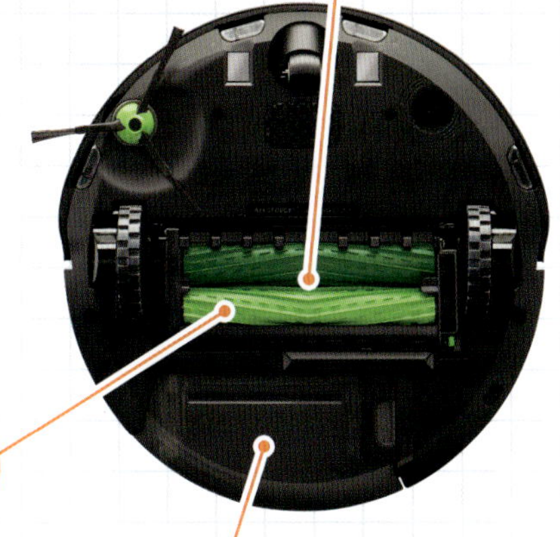

ごみのすいこみ口

ゴムのブラシ

ごみをまきこんで、すいこみ口にはこびます。

ごみばこ

すいこみ口に入ったごみを、ここにあつめます。

ひみつ1 ごみとほかのものをどうやって見分けているの？

ルンバは、ごみと、おもちゃや本、ぬいだくつ下や洋服のようなごみではない大きなものを見分けることができます。ルンバについているカメラで見ることで、ごみではないものはよけて、ごみだけをすいとっています。

ひみつ2 そうじ中に電池が切れたらどうするの？

そうじをしているとちゅうで、電池が足りなくなりそうになると、自分で「クリーンベース充電ステーション」にもどって充電します。充電がおわると、とちゅうになっていた場所にもどって、またそうじをはじめます。

ごみがたまったときももどって、紙パックにごみをすい上げます。

本物のペットのようにそだてられる！

ペット型ロボット

 写真：ソニーグループ

名前	アイボ（aibo）
はば	18cm
奥行き	30.5cm
高さ	29.3cm
重さ	2.2kg

※立っているときの大きさです。

アイボは、動物をかえない家でも、人間といっしょにくらすことができる、ペット型ロボットです。本物の動物のようなしぐさやうごき方をして、人間に気もちをつたえることもできます。

そして、いっしょにあそんだり、かわいがってもらったりすることで、人の顔や、いくつかのことばをおぼえ、なかよくなっていくことができるロボットです。

このロボットは、どうしてつくられたのでしょう？

アイボは、だっこをしてもらったり、体をなでてもらったりするのが大すきです。やさしくしてくれる人に近よっていきます。

このロボットは人間となかよくくらすためにつくられました！

ペットがかえない家にすむ人のこまりごと

動物が大すきなのですが、今すんでいる家はペット禁止なので、かうことができません。

アレルギーがある人のこまりごと

ペットがほしいですが、ぼくはアレルギーがあって、動物がかえません。

動物はかえなくても、アイボとならいっしょにくらせる

　ペット禁止の家にすんでいる人や、動物アレルギーなどの病気がある人は、ペットをかうことができません。そんな人もアイボとならいっしょにくらすことができます。

　このロボットがあれば、家でひとりのときも、さびしくありません。なでたり、だっこしたりと、かわいがるよろこびもかんじることができます。

教えて！ ロボットのしくみとひみつ

しくみ

カメラ

しっぽの近くにあって、うごきながら、へやの形をおぼえます。

おでこ、あご、せなかの3か所をなでるとよろこびます。いけないことをしたときは、せなかをやさしくたたくと注意できます。

カメラ

はなの先にあるカメラで、人や家の中にあるものを見ています。

マイク

耳の近くにあって、人の声や、物音を聞きとります。

肉球スイッチ

おしながら前足をうごかすと、15秒間のうごきをおぼえます。

センサー

人や動物が近づくと、ここにあるセンサーで気づきます。

ペットのように、しつけることもできるの？

アイボは「お手」「おすわり」「歌って」といった、いくつかの人間のことばがわかります。しずかにしてほしいときは、「しずかに」とよびかけると、言いつけをまもって、しばらくの間、そこでじっとしていてくれます。

ひみつ 2 どうすれば、なついてくれるの？

アイボは、人間といっしょにあそんだり、音楽に合わせてダンスをしたりすることが大すきです。本物の犬と同じように、人とのふれあいをくりかえしていくことで、その人をすきになり、なついていくのです。

人間といっしょにくらして、なかよくなる！

家族型ロボット

名前	らぼっと（LOVOT）
はば	28cm
奥行き	29cm
高さ	45cm
重さ	4.6kg

※うごき回っているときの大きさです。

 写真：GROOVE X

家族のだれかが外に出かけるときや、家に帰ってきたときは、げんかんまでやってきて、おくりだしたり、出むかえたりしてくれます。

らぼっとは、名前をよぶと、近づいてきたり、人にだっこをねだったりもします。だくと、ほんのりあたたかく、まるで、生きているようです。

また、らぼっとは人の顔をおぼえます。見つめあうこともできるし、なでたり、さわったりすると、よろこんで体をうごかします。まるで、家族のようになかよくなれるロボットです。

このロボットは、どうしてつくられたのでしょう？

このロボットは人の心をやさしくするためにつくられました！

しごとがいそがしすぎて、心によゆうがなく、いつもイライラしています。

さびしい人のこまりごと

ひとりぐらしをしていて、家に帰ってもひとりなので、さびしいです。

しあわせな気分にしてくれるロボット

毎日しごとでいそがしい人、ひとりぐらしでさびしさをかんじている人がいます。らぼっとは、人間のくらしをべんりにするロボットではありませんが、いっしょにいるだけで、やさしい気もちにしてくれます。

このロボットがあれば、家族といっしょにいるような、しあわせな気分になれるのです。

教えて！ ロボットのしくみとひみつ

しくみ

センサーホーン
カメラやマイク、センサーがまとまっていて、音のする方向やまわりのようすをたしかめます。

サイドパネル
うごくときは開いて、ホイールが出てきます。だっこされるときは自動でとじます。

ホイール
前だけでなく、後ろにもすすむことができます。

声
人間のことばは話せませんが、なき声で気もちをつたえることができます。

センサー
すすむ方向に、人やものがないかをたしかめます。

ひみつ1 らぼっとはどうしてあたたかいの？

らぼっとがうごくと、体の中に「ねつ」が出ます。らぼっとは、この「ねつ」を、きている服をとおして、体全体にめぐらせています。そのため、だきしめると本物の生きものようにあたたかいのです。

ひみつ2 らぼっとの目はどうしてきれいなの？

らぼっとの目は、テレビの画面と同じ材料でつくられていて、きれいなひとみの映像をうつしています。目のうごき、まばたきのはやさ、ひとみの大きさを組み合わせることで、本当に生きているような目に見えるのです。

子どもに勉強を教えてくれる

学習支援ロボット

名前	ユニボ先生
はば	26cm
奥行き	16cm
高さ	32cm
重さ	2.5kg

ユニボ先生は、小学生に算数を教えてくれる、ロボット先生です。顔をタッチすると、問題があらわれて、はじめにユニボ先生が問題のめあてを声に出してせつめいしてくれます。ときおわると、答えをうつしだして答え合わせをします。

ユニボ先生は、今はまだ、家よりも学校ではたらいていることが多いロボットです。これから家へ、はたらく場所を広げていく予定です。

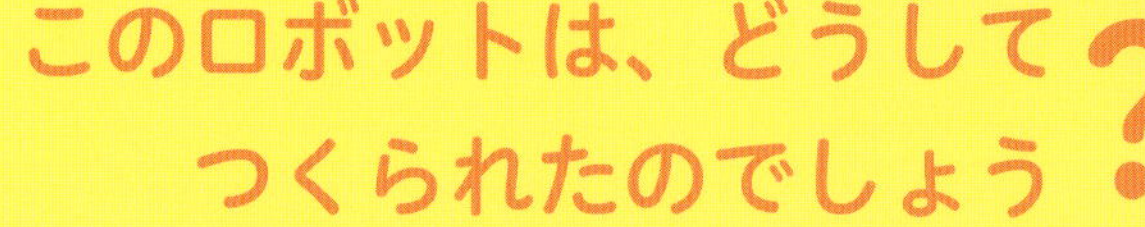

 写真：ソリューションゲート

人数が少ない学校では、先生が同時に２つの学年を教えることがあります。そんな場合、先生が２年生を教えているとき、６年生の復習のじゅぎょうをユニボ先生にまかせることができます。

このロボットは先生と協力して、子どもに勉強を教えるためにつくられました！

学校の先生のこまりごと

教師をしていますが、しごとが多くて、子どもたちと話す時間が足りません。

子どものこまりごと

先生の前だと、どきどきして、わからないところをうまくつたえられません。

いそがしい先生をたすけて、子どもたちも楽しく勉強できる！

学校の先生は、じゅぎょうのほかにもたくさんのしごとがあります。また、子どもの中には、先生に自分の気もちをうまくつたえられない子もいます。

このロボットがあれば、先生のしごとをへらすことができます。そして、先生の前だと話せなくなる子どもも、ユニボ先生がいっしょなら、気楽に話せて楽しく勉強することができます。

教えて！ ロボットのしくみとひみつ

しくみ

声

しつもんに答えたり、とき方のせつめいをしたりします。AI という自分で学習して、かしこくなっていくコンピューターが入っていて、なんどもやりとりしていると、あいさつやヒントも話すようになります。

うで

ヒントを教えるときは、うでをうごかして、つたえてくれます。

顔

指でさわってつかえる、タッチパネルのディスプレーになっています。問題や答えをうつします。

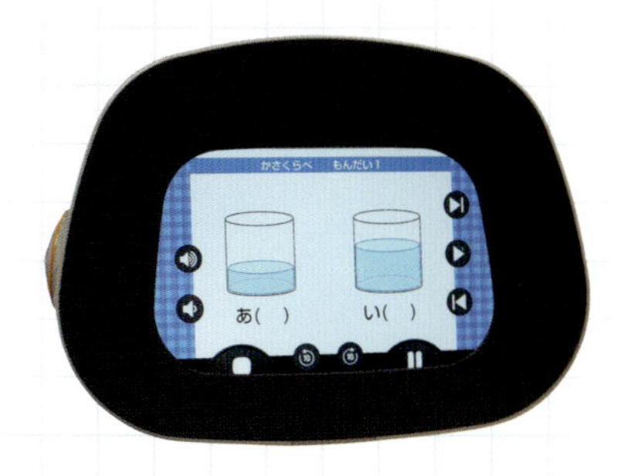

顔にうつしだされた、小学2年生の算数で学ぶ「かさくらべ」の問題。

何年生まで教えられるの？

小学１年生から６年生までの算数を教えられます。4000本をこえる問題の動画を顔にうつしだして、ヒントやとき方をせつめいしてくれます。これからも国語や英語など、ほかの教科をふやしていく予定です。

ひみつ 2　どんなふうに声をかけてくれるの？

ユニボ先生は、会話をしながら勉強を教えてくれて、しつもんにも答えてくれます。できれば「すごい、よくできたね」とほめて、できなくても「むずかしかった？　とき方を教えようか？」と声をかけてくれます。

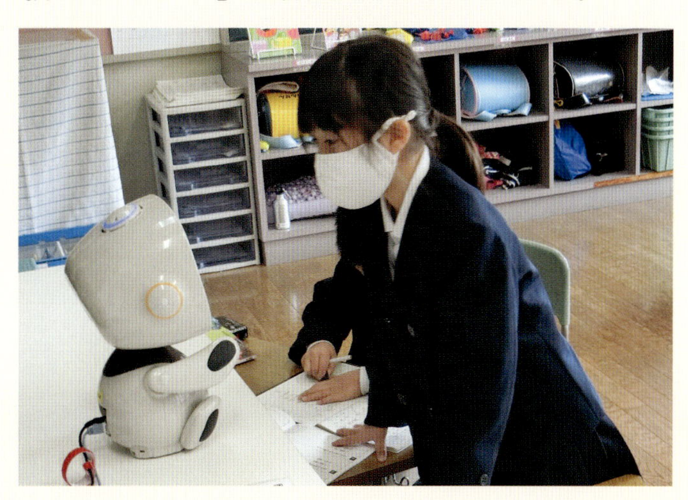

体の不自由な人のくらしをたすけてくれる

生活支援ロボット

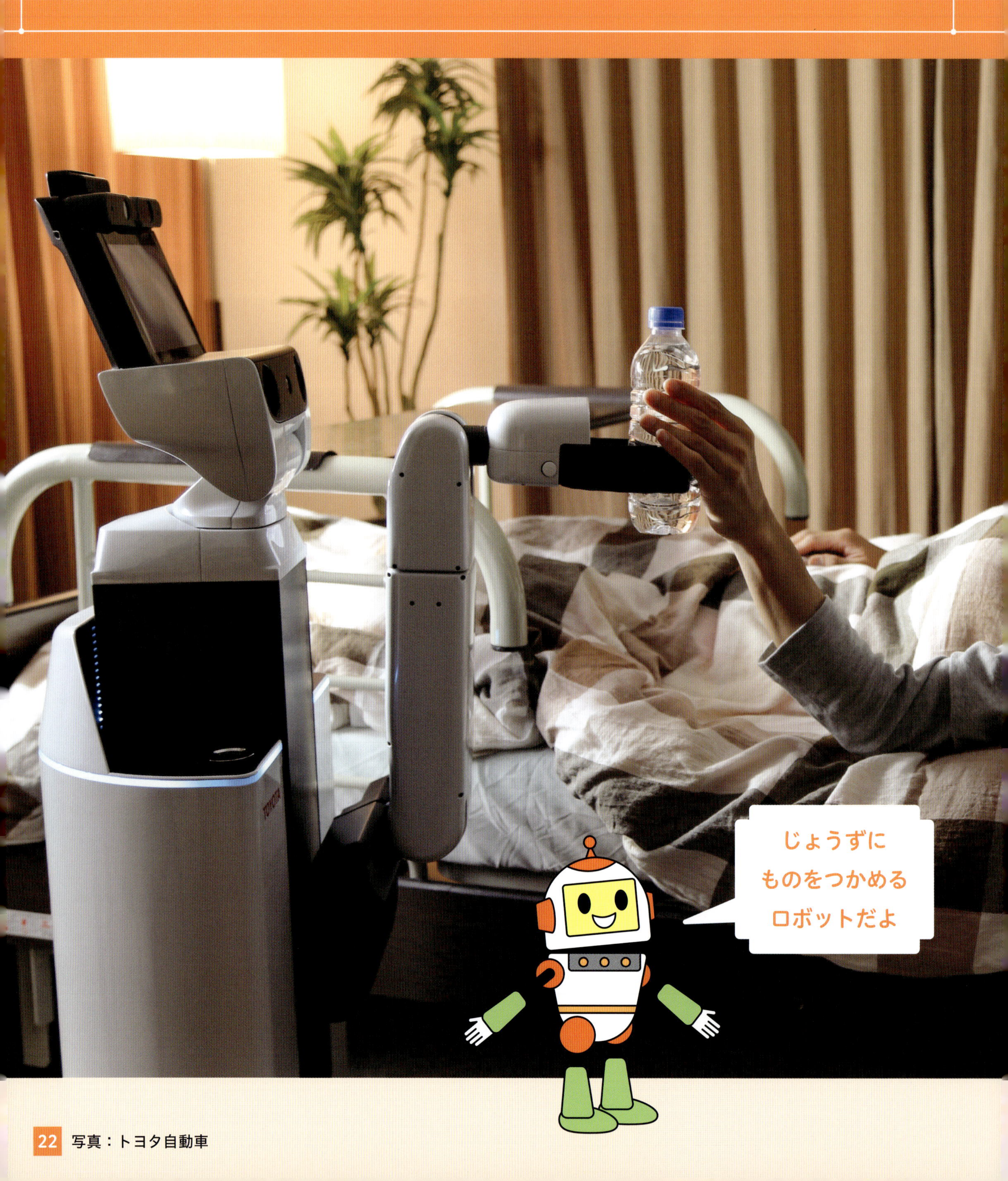

 写真：トヨタ自動車

名前 HSR
（トヨタ生活支援ロボット Human Support Robot HSR）

はば	43cm	高さ	100〜135cm
奥行き	43cm	重さ	37kg

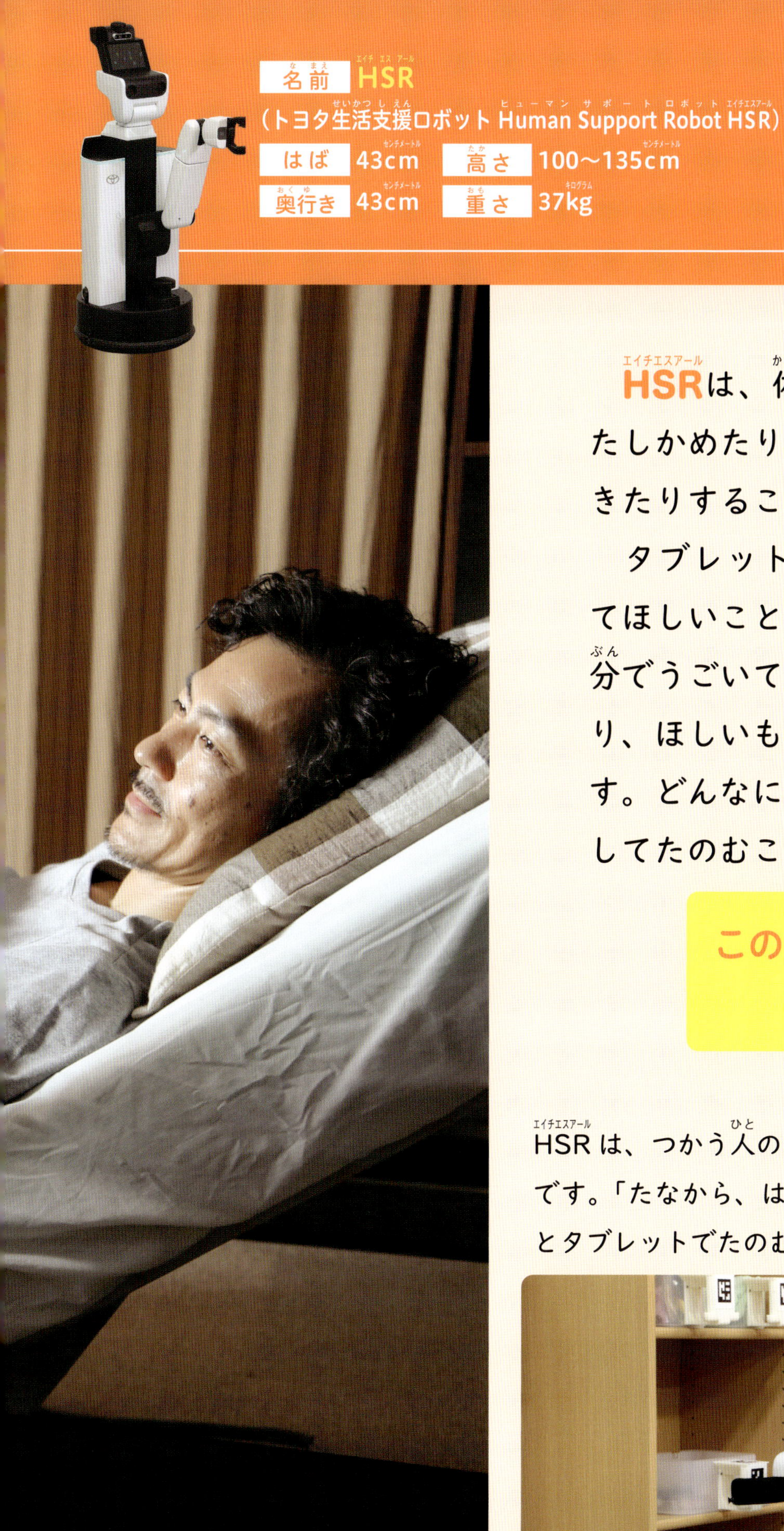

HSRは、体が不自由な人のようすをたしかめたり、遠くにあるものをもってきたりすることができるロボットです。

タブレットをつかって、HSRにやってほしいことをつたえると、家の中を自分でうごいて、おとしたものをひろったり、ほしいものをはこんだりしてくれます。どんなにかんたんなことでも、安心してたのむことができます。

このロボットは、どうしてつくられたのでしょう？

HSRは、つかう人のかわりにうごいてくれるロボットです。「たなから、はさみの入ったはこをもってきて」とタブレットでたのむと、見つけてとってきてくれます。

このロボットは体が不自由な人の生活をたすけるためにつくられました！

けがをした人のこまりごと

ころんで足を骨折してしまったので、今はどうしてもたすけがほしいです。

はなれてくらす家族のいる人のこまりごと

はなれてひとりでくらす母が心配です。ころんでたおれていないか、いつもヒヤヒヤしています。

手だすけしてほしい人の味方になってくれる！

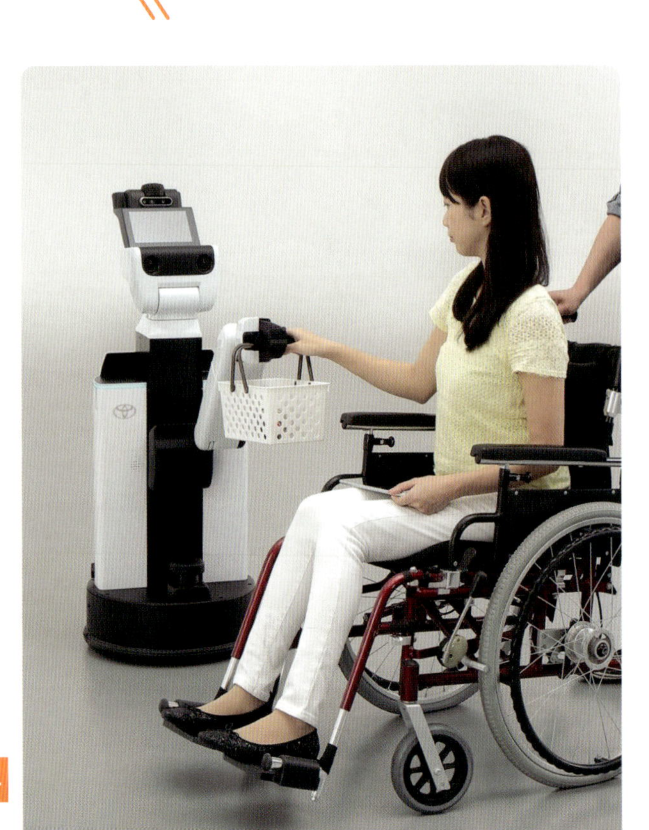

体が不自由な人やけがをした人、お年よりのように、自分の思うように体をうごかせない人がいます。そういう人たちは、おとしたものをひろったり、ほしいものをとってきたりするのもたいへんです。

このロボットがあれば、ものをひろったり、うごかしたりしてくれるので、安心して生活することができます。

教えて！ ロボットのしくみとひみつ

しくみ

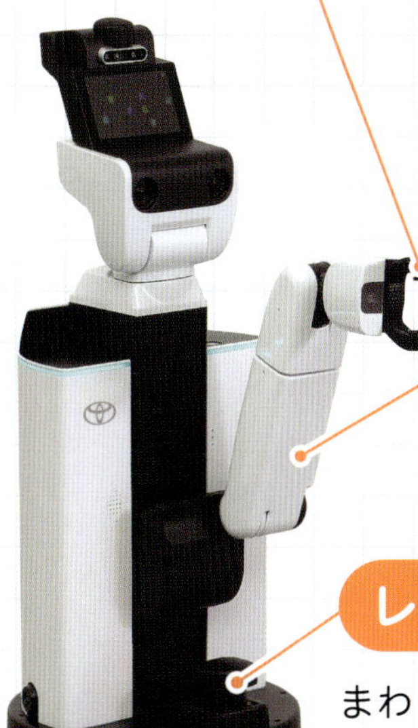

グリッパ

人間の手の役目をするところ。ものをつかんだり、すい上げたりできます。

アーム

人間のうでの役目をするところ。前に60cm、上に137cmまでのばせます。

レーザーセンサー

まわりの場所の広さや、おいてあるものの大きさがわかり、ぶつからないようにすすみます。

マイク

人の声や物音を聞きとります。

3Dカメラ

色を見分けたり、ものの奥行きをはかったりします。

ディスプレー

写真や、はなれた場所でそうさしている人の映像をうつしだすことができます。

ステレオカメラ

人間の目と同じように、左右の2つのカメラで、自分とものとのきょりをはかります。

ひみつ1 どのように用事をたのめばいいの？

用事をたのむときは、タブレットをつかいます。用事をたのみたい本人ができないときは、はなれてくらす家族がタブレットをつかうことで、体が不自由な人やお年よりの手つだいや見まもりをすることができます。

ひみつ2 小さいものでもちゃんとひろえるの？

HSRは、アームを上下にうごかすことができます。ゆかにおとしてしまった、カードのようなうすくて小さいものは、空気の力ですい上げてひろいます。ペットボトルのようなものは、つかんでもってきてくれます。

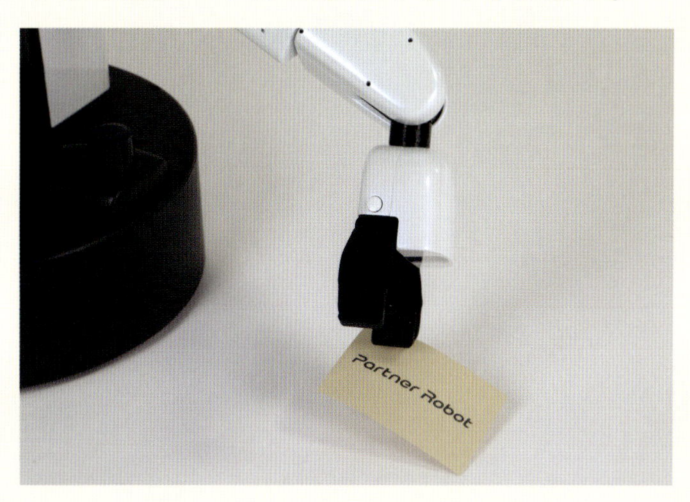

ガラスにはりついて、きれいにしてくれる

まどふきロボット

名前	ウィンボット (WINBOT W2 OMNI)
はば	27cm
奥行き	27cm
高さ	7.7cm
重さ	1.6kg

ここがすごい！

ウィンボットは、まどわくギリギリまでうごいてそうじをします。だから、よごれがのこりやすい、まどガラスの角も、きれいにすることができます。

ウィンボットは、まどガラスにとりつけるだけで、自動でまどガラスのそうじをしてくれるロボットです。とても強い力でまどガラスにはりついて、自分で洗剤をふきだしながら、上下左右にすすみます。かぎにぶつかりそうになると、よけることもできます。

 写真：エコバックス

子どもやお年よりの安心をささえる

見まもりロボット

ボッコエモは、るすばん中の子どもや、はなれてくらす家族と声でやりとりをしながら、見まもることができるロボットです。出かけている家族がボッコエモにスマートフォンからおくった声のメッセージは、むねのボタンをおすと聞くことができます。

名前	ボッコエモ（BOCCO emo）
はば	9.5cm
奥行き	9.5cm
高さ	14.1cm
重さ	400g

ここがすごい！

今日の天気や薬をのむ時間など、毎日たしかめることをおぼえさせておけば、きめた時間がくると教えてくれます。また、自分がすんでいる町にかかわる、地震や大雨などの災害のお知らせもしてくれます。

写真：ユカイ工学

自分の力に合わせて対戦できる

AI囲碁ロボット

センスロボットは、人間と対戦するたびに自分で学んでかしこくなっていく、AI囲碁ロボットです。アームをうごかして、カメラで見てきめた位置に碁石をうちます。対戦のようすはインターネットに記録されて、あとでスマートフォンで見直せるので、つぎの対戦に役立てられます。

ここがすごい！

センスロボットのレベルは、18級から9段まで23段階あります。はじめたばかりの人からプロの人まで、つかう人の実力に合わせて楽しむことができます。

名前	センスロボット（SenseRobot）
はば	79cm
奥行き	60cm
高さ	35cm
重さ	6.8kg

※碁石と碁盤をふくめた大きさです。

 写真：伊藤電機

楽しく英会話を教えてくれる

英会話AIロボット

ミュージオは、英会話の学習をたすけてくれるロボットです。英語で話しかけると、しぜんな英語で答えてくれます。前に話した会話や新しいことばをおぼえて、かしこくなっていくAIロボットなので、友だちとおしゃべりするように楽しく英会話が学べます。

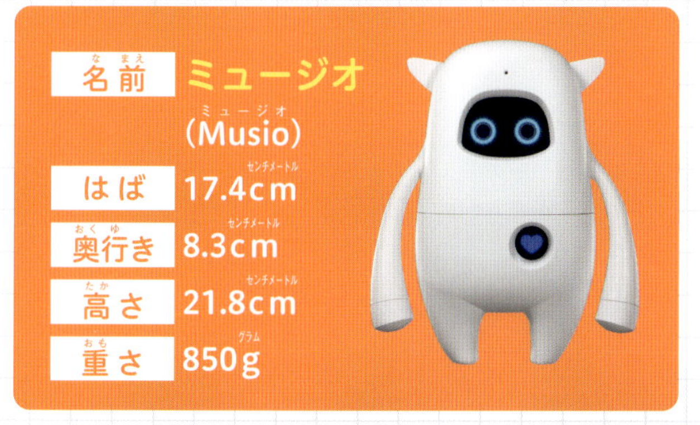

名前	ミュージオ（Musio）
はば	17.4cm
奥行き	8.3cm
高さ	21.8cm
重さ	850g

ここがすごい！

ミュージオは、英語の辞書の役わりをすることもできます。「これを英語でなんていうの？」「この英語の意味は？」と、日本語で話すと、日本語を英語に、英語を日本語にして答えてくれます。

写真：AKA

歌って、おどって、会話もとくい！

おしゃべりロボット

パルロは、高さ40cmのロボットです。会話がとくいで、相手の顔や名前をおぼえて話しかけてくれます。前に話したことや、その人のすきなこともおぼえます。自分でインターネットでしらべたいろいろなことを話題にして、どんな人とでも会話ができます。また、その日にすることも教えてくれるので、ふだんの生活もたすけてくれます。

名前	パルロ（PALRO）
はば	18cm
奥行き	12cm
高さ	40cm
重さ	1.8kg

ここがすごい！

パルロは、家だけでなく、老人ホームのような、たくさんのお年よりがくらすしせつでも、かつやくしています。歌や体そう、落語もとくいで、お年よりが元気になることをしながら、楽しい時間をつくります。

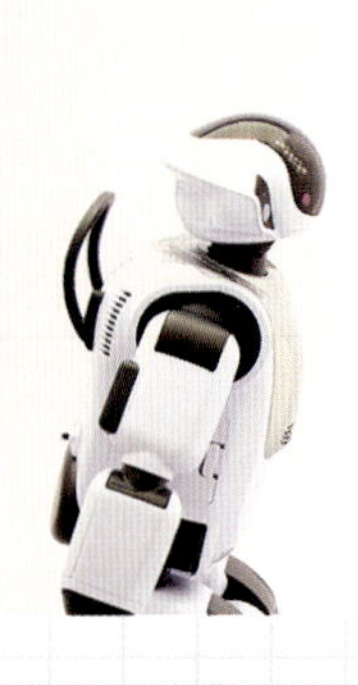

写真：富士ソフト、国立あおやぎ苑

ロボホンは、歌ったり、おどったり、会話をしたりすることがとくいです。おどれるダンスは毎月１つずつふえていき、おでこにあるカメラで人の顔をおぼえて話しかけてきます。ロボホンは、ロボット型のけいたい電話なので、電話をしたり、写真をとったりすることもできます。

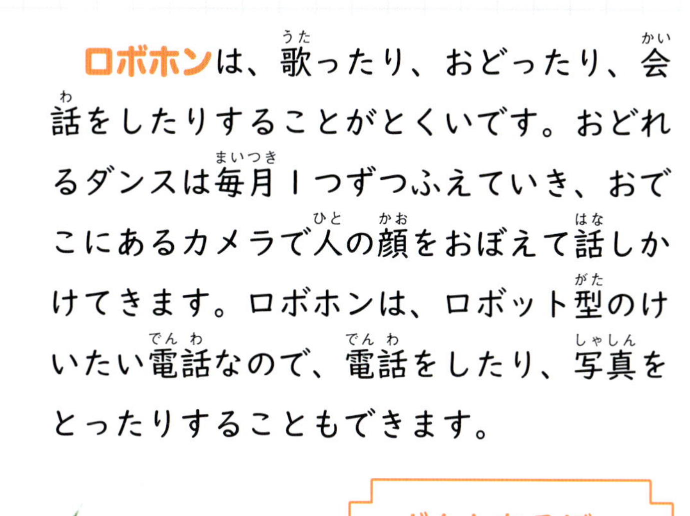

名前	ロボホン（RoBoHoN）
はば	10.8cm
奥行き	5.8cm
高さ	19.5cm
重さ	390g

ここがすごい！

お話や絵本の「読み聞かせ」ができます。はじめにロボホンに「読み聞かせをして」と話しかけます。つぎに、ロボホンが知っている本のタイトルをつたえると、読み聞かせをはじめます。

写真：シャープ

監修

平沢 岳人
ひらさわ・がくひと

千葉大学大学院工学研究院教授。1964年生まれ。東京大学建築学科卒業、同大学院工学研究科修了、博士（工学）。建設省（当時）建築研究所第四研究部、仏建築科学技術センター(CSTB)客員研究員、仏国立情報学自動制御研究所(INRIA)招聘研究員を経て、2004年より千葉大学工学部助教授。建築ものづくりにロボットを応用する研究に従事。

国語指導

流田 賢一
ながれだ・けんいち

大阪市立堀川小学校教諭。1982年、大阪府出身。2005年、大阪教育大学教育学部卒業後、大阪市立西淡路小学校に教員として勤務する。2015年、国語科の授業づくり、社会で必要となる力の育成について研究したいという思いから、大阪教育大学連合教職大学院に進学。現在、大阪市立堀川小学校で、首席として他の教職員の指導にもあたっている。

協力企業・団体一覧（掲載順）

アイロボット／ソニーグループ株式会社／GROOVE X株式会社／有限会社ソリューションゲート、ロボフィス株式会社／トヨタ自動車株式会社／エコバックスジャパン株式会社／ユカイ工学株式会社／伊藤電機株式会社／AKA株式会社／富士ソフト株式会社、国立あおやぎ苑／シャープ株式会社

監修 ―― 平沢岳人
国語指導 ―― 流田賢一
装丁・本文デザイン ―― 倉科明敏（T. デザイン室）
企画・編集 ―― 山岸都芳・渡部のり子（小峰書店）
川邊剛彦・古川貴恵・楠本和子・渡邊里紗（303BOOKS）
イラスト ―― バーヴ岩下

はたらくロボットずかん❶
家ではたらくロボット

2025年4月6日　第1刷発行

発行者　小峰広一郎
発行所　株式会社小峰書店
〒162-0066 東京都新宿区市谷台町4-15
TEL 03-3357-3521　FAX 03-3357-1027
https://www.komineshoten.co.jp/
印刷・製本　TOPPANクロレ株式会社

NDC548　31p　29×23cm
ISBN978-4-338-37101-8

ロボットをしょうかいしよう!

書き方のれい　すきなロボットをえらんで、ロボットせつめい書をつくりましょう。

ロボットせつめい書　2年　2組　名前　こみね　みこ

自分がしょうかいしたいロボットをえらんで、□に✓を入れましょう。

✓ 6~25ページにのっているロボット　□ 自分で考えたロボット

えらんだロボットの名前を書きましょう。

ロボットの名前：らぼっと

ロボットの絵

えらんだロボットの絵をかきましょう。

ロボットがいる場所とできることを書きましょう。

●どこで、どんなことをするロボットですか?

家で、いっしょにくらして、家ぞくのようになかよくなれる、家ぞくがたロボットです。なでたり、さわったりすると、よろこんで体をうごかします。

ロボットがつくられたきっかけを1つ書きましょう。

●だれのどんなこまりごとから、つくられましたか?

会社で、いそがしくはたらいている人は、イライラしてしまうので、やさしい気もちになりたいと思っています。

すごいと思ったしくみやひみつを1つ書きましょう。

●どんなしくみやひみつがありましたか?

らぼっとがうごくと、体ぜんたいがあたたかくなるので、だきしめると、本ものの生きもののようにあたたかいです。

●このロボットがあれば、わたしたち人間に、どのように役立つと思いましたか?

しごとでいそがしい人や、ひとりぐらしでさびしい人の気もちをやさしくしてくれると思いました。らぼっとは、わたしたちのくらしをべんりにするロボットではないけれど、家ぞくといっしょにいるような、しあわせな気分になれます。

ロボットがどのようにかつやくし、わたしたちの役に立っているのかを書きましょう。

大阪市立堀川小学校教諭　流田賢一先生より

「ロボットせつめい書」に書かれた質問の答えを、本の中からさがします。クイズに答えるように、大事な言葉を見つけましょう。「だれのどんなこまりごとから、つくられましたか?」という質問の答えは、だれかの「こまりごと」が本の中に書かれているはずなので、さがしてみてください。なんども書くと、短い言葉でせつめいできるようになります。自分で考えたロボットのせつめいにも、つかってみてくださいね。

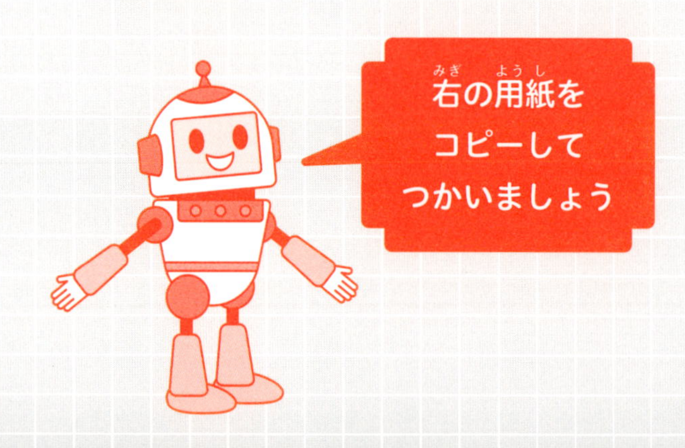